지금이 딱이야

창 비
청소년
시 선
34

# 지금이
# 딱이야

최은숙 시집

창비

차
례

제1부

시계도 책도
재워 놓고

# 선생님은 우리한테 딱이다

너희 선생님 아프시다
옆 반 선생님이 말씀하셨지만
오늘 교실 문을 힘차게 열고 들어오신 선생님은
솔직히 학교 오기 싫었다고 하신다
배신자! 누군 오고 싶어서 오나?
선생님은 지각하는 아이를 세워 놓지 않으신다
선생님도 종종 지각하시기 때문이다
우리가 졸면 책을 덮고 오 분간 재워 주신다
그리고 우리보다 더 빨리 주무신다
도대체 우리 선생님은 선생님 같지 않다
우리보다 쪼끔 더 알아서 우리를 가르치시는 거다
어떤 때는 모른다고도 하신다
그럴 때는 우리가 가르쳐 드려야 한다
선생님이 신기하다는 듯 오, 오! 하시면
우리 반엔 잘난 척이 퍼진다
선생님은 우리한테 딱이다

# 비밀

십 분만 재워 주세요 했더니 탁, 교과서를 덮는 선생님. 교실이 조용해지면서 숙제를 베끼는 덕규 빼고 하나둘 잠 속에 빠져들었다. 선생님도 교탁에 엎드리셨다. 옆 반 애들이 와서 교실 문을 여는 동시에 종이 울렸다. 국어 시간을 통째로 자 버린 거다. 날아갈 것 같다. 선생님 최고예요! 아이들이 소리 질렀다. 니네도 최고야. 기지개를 켜면서 선생님이 나, 침은 안 흘렸지? 흐흐흐 웃으셨다. 우리 다 같이 딴 세상에 갔었다. 시계도 책도 재워 놓고 몰래 떠났던 거다.

# 깜빡하기

체험 학습 동의서에 엄마 사인 받아 오는 걸 깜빡했다
그게 아니라 집에 가져가는 걸 잊었다
사실은 집에 가져가기도 전에 없어졌다
이건 정말 나쁜 일이다
오늘까지 사회 포트폴리오 내는 것도 깜빡했다
그게 아니라 파일 사는 걸 잊었다
사실은 사회 학습지가 네 장이나 사라졌다
떠들었다고 칠판에 이름도 적혔다


종례 때 선생님이 책상을 뒤집어엎으라고 하신다
단단히 화가 나셨다는 뜻이다
복도에서 기다리던 옆 반 친구들도 분위기를 파악했다
핸드폰을 켜고 복도에 느긋이 기대어 앉는다
책상 서랍 속에서 프린트와 책과 과자 봉지가 쏟아져 나
온다


"책은 책끼리, 공책은 공책끼리, 학습지는 파일에, 휴지
는 버린다!"

우리 반 슬로건을 외치고 책상 서랍을 정리한다
사회 학습지를 찾았다 너덜너덜하다
체험 학습 동의서도 찾았다
찾았다! 소리치다가 선생님의 도끼눈과 마주친다
문화재 발굴하냐?

오늘도 우리 반 종례가 꼴찌다
그런데 이게 웬일?
수업 시간에 떠든 사람 남기는 걸 선생님이 깜빡하셨다
속담 열 개, 다섯 번씩 베껴 쓰기 안 해도 된다
교실이 떠나가라 인사를 하고 뛰어나갔다
선생님이 깜빡하시는 건 진짜 좋은 일이다

# 안 보이던 게 보인다

신발이 가지런하면
도둑이 왔다가도 그냥 간단다
그런 집은 식구들 마음도 가지런해서
허술한 구석이 없기 때문이지

사물함이랑 책상 서랍을 날마다 정돈해라
창틀에 체육복 휙 던져 놓지 말고
잘 개켜서 가방 속에 넣어라
훈련이 습관이 되면
아무도 훔쳐 가지 못하는 재산이란다

집에 가기 전에 책상 위를 깨끗이 정리해라
책상 줄도 맞추고 의자도 집어 넣고
창문도 단단히 닫고
우리가 있던 자리가 아름다워야 한다
내가 있는 자리를 소중하게 대해야
내가 소중해진다

선생님의 잔소리 3절, 옆 반 애들도 다 외웠다

집에 일찍 가려고 날마다
빨리빨리 책상 줄 맞추고
빨리빨리 책상 서랍 정돈했더니
이제는 휙 던져 놓은 체육복이 보인다
비뚤비뚤한 책상이 보인다
뒤죽박죽인 책상 서랍이 보인다
아무도 훔쳐 가지 못하는 재산이 생겼다

# 이해하자

체육 수업을 마치고 돌아오면 선생님은
끝나면 제발 세수 좀 하고 들어오라고
체육복도 좀 벗으라고 잔소리를 하신다
그래도 얼굴이 달아오른 우리를 위해
교무실 냉장고를 털어 오셨는데
아이스크림이 다섯 개나 부족했다
선생님은 다음 주에 빠삐코를 사 주겠다 약속하셨다

마침내 빠삐코를 먹는 날
체육 수업 끝나자마자 축구공을 던지고 달렸다
쉬는 시간까지 연장전을 안 한 것도
수업 종 울리기 전 교실에 앉아 책을 편 것도 처음이었다
문이 열리고, 킹마트 아저씨가 나타나셨다
교실이 떠나가는 함성!
그런데 어, 어?
아저씨가 들고 온 것은
빠삐코가 아니라 빼빼로였다

왜 빼빼로를……
빼빼로 가져오라고 하셨는데요?
제가요?
당황하신 선생님은
우리 눈치를 보면서 물으셨다
그냥 빼빼로 먹을래?
아님 다음 주에 빠삐코 먹을래?
우리는 '울며 빼빼로 먹기'를 선택했다
다음에 먹자고 눈앞의 빼빼로를 포기할 순 없다

어떻게 그걸 헷갈려요?
바사삭, 빼빼로를 씹으며
선생님은 말이 안 되는 말씀을 아무렇지도 않게 하신다
비슷하잖아 빠삐, 빼빼

# 매우 나쁨

오늘도 '매우 나쁨'
엄마가 미세미세 앱을 확인하더니 얼굴을 찡그린다

교실에 공기 청정기가 들어왔다
집에 갈 때 전원 끄기 담당을 정했는데
하필이면 내 책상 옆에 놓일 게 뭐야
망가지지 않도록 관리까지 하게 되었다

범준이가 청정기 위에 엎드려 밀고 다니며
나를 보고 실실 웃는다 열이 뻗친다
잘못은 범준이가 했는데 교무실에 끌려간 건 나다
범준이가 공기 청정기를 타고 다닌 건 잘못이지만
말로 안 하고 친구를 때린 것은 더 큰 잘못이라고
오늘 재수 '매우 나쁨'이다

'학교 폭력 없는 우리 학교'
교무실 복도에서 표어를 들고 서 있는데
눈물이 뚝뚝 떨어진다

범준이 자식이 자진해서 옆에 와 서더니 표어를 든다
'나에게는 잠시 장난, 너에게는 깊은 상처'
참으려고 해도 웃음이 난다
범준이도 킥 웃으며 미안, 하고 손을 내민다

청정기를 관리하라고 한 것, 미안하다고
학생이 할 일이 아닌데 생각이 짧았다고 선생님도 사과
하셨다
'좋음'까지는 아니지만 매우 나쁜 하루는 아닌 것 같다

# 애로 사항

복도에서 엄마를 만나면
다른 애들처럼 인사한다
"안녕하세요."
엄마도 다른 선생님들처럼
"어."
대답하고 지나간다

엄마와 주고받는 말은 딱 그것뿐인데
범준이 자식이 툭하면 약 올린다
"니네 엄마한테 이를 거지? 일러라, 일러라."
멱살은 내가 먼저 잡았지만 때린 건 범준이가 먼저다
엄마한테 불려 갔다

"왜 또 싸웠어?"
엄마는 그렇게 묻기만 했는데
범준이가 울음을 터뜨렸다
비겁한 자식

반성문 한 장을 어떻게 다 채우냐
할 수 없이 서로 커닝을 했다
벌은 우리 집에서 저녁 먹기다
내일은 범준이네 가서 먹어야 한다
"너네 엄청 친한가 보다. 자주 밥 먹네."
누나가 약 올린다
"안 친해!"
밥알 튄다고 누나가 꿀밤을 먹인다

왜 하필 엄마가 우리 학교 선생님이냐고!
왜 하필 우리 선생님이 니네 엄마냐고!

갑자기 우리가 한편 같다

# 재난 대비 훈련

소방 경보가 울리면 우리는 소리를 지르며 달려 나간다
화장실에 숨어 있던 동우와 상규도 끌려 나온다
체육을 하고 있는 애들이 안됐다
왜 하필 체육 시간에 소방 훈련을 하느냐고 투덜거린다

농구 골대 옆에서 불이 나자마자
소방차가 사이렌을 울리며 달려온다
폭포 같은 소화액을 맞고 연막탄이 기절한다
가짜 부상자 현섭이가 들것에 실려서 119를 타고
삐뽀삐뽀 운동장을 한 바퀴 돈다

장난치며 나왔다고, 119를 따라 뛰었다고
뜨거운 햇살 아래서 벌을 받는다
교복 안 입고 온 것까지 혼난다
불난 마당에 교복 검사라니

숙제 검사 하는 찰나 지진 대피 경보가 울리면
웬일! 우리는 환호성을 지르며 달려 나간다

나무늘보 같은 동우와 상규를 끌고 나간다
책상 밑에 들어갔다가 나와야 하는데
매뉴얼을 잊어버려서 선생님께 야단맞는다


운동장으로 뛰어나왔는데 땅이 갈라지면 어쩌지?
할머니는 마을 회관에 가셨고
아빠는 밭에서 일하고 있고
엄마랑 누나랑 나는 학교에 있는데 서로 못 만나면 어쩌
지?


사회 시간에 본 체르노빌 원전 사고 영상이 생각난다
방사능 먼지가 서유럽을 덮고
불 끄러 갔던 소방관들은 피폭되어 죽었다
재난 놀이가 재미없어진다
우리에게만 뭐라 하지 말고
어른들도 자기 일을 잘 해 줬으면 좋겠다

# 눈물 젖은 치킨


선생님, 저 설사할 것 같아요
똥 좀 싸고 올게요
선생님의 허락을 받고 동우가 나가자마자
선생님, 저도요 아까부터 참고 있었어요
상규도 배를 만지며 따라 나갔다


선생님, 동우랑 상규 화장실 안 가고 운동장으로 뛰어가
요!
치킨 오토바이 왔어요!


화가 단단히 난 선생님이
창문을 열고 당장 뛰어오라고 소리치셨다
동우랑 상규는 치킨을 들고 튀었다
치킨을 감추고 나타나 절대 아니라고 잡아뗐지만
선생님이 치킨집에 전화해서
주문을 한 동우의 번호를 알아내셨다


그 나이 땐 밥숟갈 놓고 돌아서면 배고프지

그러면서 아빠는 돌도 씹어 삼키면 소화될 나이라고 하
셨다
　누나는 그 치킨은 어떻게 됐느냐고 물었다


　동우와 상규는 엄청 혼나고 벌 청소도 한 뒤에
　화장실로 달려갔으나
　그대로 거기 있을 치킨이 아니었다
　불쌍한 내 친구들은 CCTV를 돌려 달라는 말도 할 수
없었다

# 21세기 화전놀이

진달래 20장 1,000원, 여섯 명 선착순!
단톡방에 뜨자마자 친구들이 개떼처럼 달려들어
희준이의 진달래는 완판되었다

공주대학교에 진달래가 엄청 많아요
라며 성철이가 잔뜩 따 온 꽃은 영산홍이었다
시든 꽃 가져갈까 봐 동우 할아버지는
진달래나무를 파다 마당에 심으셨다
상규는 냉동실에 넣었다가 곤죽이 돼 버린 진달래를 들
고 왔다

여기저기 기름이 튀고
호떡을 만들며 낄낄거리고
프라이팬에 지진 꽃은 순식간에 타 버렸다
놀이가 아니라 전쟁이었다
선생님이 코뿔소처럼 씩씩거리셨다
이놈의 자식들하고 내가 다시는 이런 짓을 하나 봐라

하지만 우리들은 행복했다
전날 잠도 안 왔다
호떡은 맛있었고
영산홍을 따 온 성철이는 정말 웃겼다
제일 예쁜 화전을 집에 갖고 왔더니
엄마랑 아빠가 내년부턴 우리도
화전놀이를 하자고 하신다

내년에도 또 해요!
선생님은 절대 안 한다고 거절하셨다
그래 놓고 깜빡하셨는지 잠시 뒤에
내년엔 꽃 따는 것부터 같이 하자고 하셨다

# 무서운 상민이

8시 30분
일 초도 어김없이 핸드폰을 걷는다
게임을 하던 친구들이 일 분만, 딱 일 분만, 사정해도
인정사정없이 가방 지퍼를 닫아 버린다
핸드폰 가방에 들어가지 못한 지각 폰들은
교탁 위에서 떨고 있다

휴대폰이 다 걷히기 전엔 자리에 앉지도 않는다
복도를 서성서성, 계단을 오르락내리락
지각생들이 달려오며 배턴 터치하듯 휴대폰부터 내밀면
휙 채뜨려 넣고 자물쇠를 채운 뒤
교탁 앞에 앉는다

상민이 안녕!
헐레벌떡 출근하신 선생님이 인사하셔도
무표정한 얼굴로 한마디 한다
늦게 내도 그냥 돌려주시니까
아이들이 아침에 게임하고 폰을 잘 안 내는 거예요

알았어, 누구누구야 이노무 시키들
아실 만한 학생들이죠, 늘
뻘쭘한 선생님을 뒤로하고
임무를 마친 상민이 자리로 돌아간다
선생님도 상민이에겐 꼼짝 못 하시는 것 같다

# 우리를 상징하는 것

미세 먼지를 피해 유럽 여행 가는 사람들이 있다
파란 하늘을 배경으로 인증 숏을 올린다
유럽 여행 못 가는 사람들은
미세 먼지를 톨 사이즈로 리필하며 살아야 하나?
생수 배달 시키는 사람들도 많다
프랑스 물까지 수입한다고 한다
그럼 우리는?
수돗물은 돈 없는 사람만 먹는 건가?

옛날에는 미세 먼지라는 말이 없었다고 한다
하늘은 원래 파란 거라고 한다
하늘이 담긴 우물 퍼 올리던 두레박이 있었다 한다

잿빛 하늘과 KF94 마스크와 끓여 먹는 수돗물
헌 옷 같은 세상을 물려주면서
어른들은 심지어 벌컥 화도 낸다
기후 변화 대응 거리 시위를 하더라도
공부 먼저 하라고

우리가 대신 가슴에 손을 얹자
텀블러를 장착하고 자전거 휘달리는 멋짐
가방 안의 보자기 에코 백
수업 빼고 시위하여 욕을 먹는 것
이것은 모두 시그니처다
우리는 다음 세대의 것을 당겨쓰지 말자는 약속
중요한 생각과
급한 일을 먼저 하는 세대의 상징

# 이 맛에 산다


라면은 역시 몰래 먹는 맛
아침 일찍 학교에서 먹는 뽀글이
봉지에 라면을 부숴 넣고
스프를 넣은 다음 뜨거운 물을 부어
나무젓가락 사이에 물려 놓으면
온몸이 짜릿

그러나 후유증이 너무 크다

복도를 점령하는 범죄의 향기
독약을 먹어라 이 무식한 놈들아
선생님의 찰진 독설을 견뎌야 하고
이차로 집에서 엄마가 기다린다
아, 라면도 맘대로 못 먹는 인생

엄마랑 아빠랑 여행 가셨다 으ㅎㅎㅎ
범준이가 와서 같이 공부하기로 했다
당연히 롤 먼저 한 판

그리고 라면 먹기
라면이랑 먹으면 김치도 꿀맛이다
내일 세상이 무너진대도
한 그루 사과나무를 심기 전에
우린 오늘 라면을 끓이리라

# 잘 하지 않아서 잘했다


수업 시간에 선생님이 내 시를 읽어 주셨다
열 번도 넘게 썼다 지웠다 고민하다가
에라, 모르겠다
누나가 날 괴롭히는 이야기 획 써서 냈는데
왜 그걸 읽어 주셨을까?
애들이 엄청 웃었다
자기네 누나랑 똑같다고

근데 그게 잘 쓴 거냐고 아이들이 물으니
잘 쓰려고 안 해서 잘 썼다고 하셨다
잘 쓰려고 안 한 게 왜 잘 쓴 건데요?
지금은 실패를 통해 배울 때니까
마구 실패해도 된다는 게 얼마나 좋아
그런 날이 길지 않단다

그러니까 잘 쓴 건 아닌데
잘 쓴 거래요
집에 와서 자랑했는데

아빠는 허허 웃기만 하고
누나는 자기 이야길 뭐라고 썼는지
읽지도 않았으면서 눈을 흘겼다

# 금강

멋진 서사시의 제목입니다
우리 학교 옆에 있습니다
힌트, '공주' 하면 떠오르는 말입니다

우리가 열광하는 깜짝 퀴즈
상품은 문화 상품권 두 장
공주 알밤! 곰나루! 공산성!
한 사람씩 손 들고 대답해라, 정신없다
그 순간 민준이가 손 들고 자기를 가리키며 소리쳤다
왕자!
싸한 시간이 지나가고
재창이의 중저음이 교실을 울렸다
금강!
아깝다, 내 것이 될 수도 있었던 저 문상
금강을 알긴 알았는데
금강, 하고 불러 보긴 처음이다

누가 썼게?

김소월! 이육사! 한용운! 최은숙!
선생님은 눈살을 찌푸리고
신동엽 선생이 쓰셨다,라고 하셨다
우하하하하 웃음이 터졌다
그 신동엽 아니야
선생님은 얼굴을 더 찌푸리셨다


다음 국어 시간에 금강으로 야외 수업 갔다
금강의 금은 비단 금이라 한다
무려, 실크?
비단강에서 물수제비뜨기를 했다
금강의 납작한 돌들이 물을 만났다
심심하게 가던 강도 신났을 거다
통 통 통 통통, 토르르르르르
덕규의 돌이 열한 번이나 물 위를 달렸다
에잇, 마지막 문상은 덕규 것이 되었다


동학년 곰나루의, 그 아우성만 살고

껍데기는 가라
국어책에 나오는 곰나루가 우리 동네에 있었다

제2부

시시한
그것

## 냉이튀김

냉이꽃이 피고 씨가 생기면
엄마는 냉이꽃을 꺾어 흔들어 준다
에헤, 이놈의 개!
꽃을 흔들며 걷는 엄마 발에 걸려서
누렁이가 야단맞는다

봄동밭엔 작년 봄 퍼뜨린 냉이가 가득
겨울 난 나물은 약이란다
엄마는 냉이를 캐서 씻고 물기를 턴다
비닐봉지에 밀가루랑 냉이를 넣고
아빠가 좋아하는 청양고추랑 양파 쫑쫑 썰어 넣는다
누나는 칵테일을 만드는 바텐더처럼
봉지를 귀 옆에 가져다 대고 흔든다
그만 됐다 해도 신나게 흔든다
기름이 끓으면 냉이 뿌리를 잡아
파란 잎부터 가만히 집어넣는다
집어 던지면 밀가루가 엉겨 안 예쁘다고
엄마가 알려 주었다

소쿠리에 가득
꽃만큼 예쁜 냉이튀김

아빠는 냉장고에서 막걸리를 꺼내고
엄마는 이모에게 전화를 건다

# 비 올 때

비가 올 것 같다고 할머니가 말씀하셨다
작전 개시! 누나가 소리친다
막 뛰어다니면서 장독 뚜껑을 괜히 열었다 닫고
빨래 건조대를 집 안으로 들여놓고 창문을 닫는다

천둥이랑 번개가 치면 기분이 좋다
바람도 방에 들어오고 싶은지
창문을 흔들어 댄다
우리의 성(城)은 끄떡도 없다

누렁이도 자기 집으로 들어갔다
방은 따뜻하고
누나는 이어폰을 끼고 노래를 듣는다
텔레비전 보시던 할머니는 코를 고신다
텔레비전을 끄면
왜? 하면서 눈을 번쩍 뜨실 것이다

비가 그치지 않았으면

힛힛, 학교 가는 길이 끊겼으면

# 나물의 이동


두릅이랑 고사리는 충남 서산에서 왔다
아빠 친구 송성영 아저씨가 보내 주셨다
쑥이랑 가죽나물은 공주 계룡산에서
아기 손바닥 같은 머윗잎은 무주에서
부지깽이나물은 울릉도에서 배를 타고 나왔다
옥주 이모가 뜯은 쑥과
경순이 이모가 울릉도 다녀오면서 사 온 부지깽이나물
안젤라 이모가 무주에서 따 보낸 머윗잎
엄마 아빠 친구들의 선물이 밥상을 점령했다

잡곡밥
들깨쑥국
부지깽이나물
머위쌈
두릅된장무침

고라니랑 토끼를 초대하시죠
툴툴거려도 못 들은 척

이렇게만 먹으면 백 년도 살겠다고
엄마랑 아빠는 신이 났다
우리 학교 급식이 이렇다면
정말 학교 가기 싫을 거다 하지만

아빠랑 엄마랑 아픈 성영이 아저씨랑
사랑하는 사람들이 모두 백 살까지 산다면
백 번도 먹을 수 있다
곰은 굽지도 않은 마늘을 백 일이나 먹었다는데
그것쯤이야

그래서 풀 반찬이 왔다 갔다 하는가 보다
울릉도 무주 공주 서산
전국에 포물선을 그리나 보다

# 난 브로콜리를 좋아하진 않지만

눈 나빠서 묻어 간 벌레 있으면
귀엽게 보시고 털어서 드세요

황영순 선생님이 보내신 쪽지가
한 달째 냉장고에 붙어 있다
야, 이게 바로 '파아랗다'는 거구나
브로콜리를 데치면서 엄마가 큰 소리로 말했다

아범아, 가을에 찹쌀 찧거든 잊어버리지 말고
황 선생 댁에 꼭 보내 드려라
올해도 보리꼬리를 보내셨구나
보리꼬리?
할머니 때문에 밥 먹다 말고 웃음이 터졌다

선생님이 봄에 씨를 받아서
손으로 벌레를 잡아 주며 키운 거라고
브로콜리를 초장에 찍어 내 입에 넣어 주면서
엄마는 열 번도 더 말했다

냉장고를 열 때마다 쪽지를 읽는 엄마
토토로가 올라앉는 울창한 나무같이 생긴 브로콜리
자르면 자를수록 파아랗고 노란 작은 나무들이
마술처럼 늘어나는 브로콜리
식구들을 웃게 하는 이상한 브로콜리

# 할머니의 사랑

할머니께서 용돈을 주셨다
바지 하나 사 입으라 하시면서
요새 에미가 돈 쓸 데가 많았나
쯔쯔 혀를 차셨다

일요일에 알았다
내가 아끼는 찢청 무릎을 할머니가 꿰매 놓으셨다
천을 덧대 꽁꽁 막아 놓으셨다
대박이다, 한마디 하고 누나는 방으로 뛰어 들어갔다
데굴데굴 뒹굴며 웃고 있을 것이다
엄마의 얼굴이 빨개진 것도 웃음을 참느라 그런 것이다

방으로 들어가 심호흡을 했다
할머니는 나를 사랑해서 그런 거야
열 번쯤 생각했다
하지만 엄마와 누나는 밉기만 했다

확 기분이 풀리는 일이 십 분도 안 돼 일어날 줄이야

새로 산 엄마 스웨터에 목이 들어가지 않았다
엄마가 비명을 질렀다
할머니가 엄마 옷도 꿰매 놓으셨다
실이 풀린 것처럼 목 부분이 너풀너풀했기 때문이다
이렇게 통쾌할 수가

할머니가 엄마를 무척 생각하신다는 걸
나는 알 것 같았다

# 이모네 집

와! 낡았다
신난다 도깨비가 살 것 같다
비탈진 골목에 달걀귀신이 데굴데굴
미끄럼을 탈 것 같다
이모랑 이모부가 이사 오는 집
공산성 아래 이층집
이모랑 이모부가
벽에 핀 곰팡이를 박박 긁고
썩은 싱크대를 뜯어내고
삐걱대는 문을 바로잡는다
목욕탕에 끌려간 나처럼
집에서 때가 밀린다
장판을 새로 깔고 금 간 벽에 시멘트를 바르고
녹슨 수도관도 갈아 준다
거품이 북적북적, 달걀귀신이 버블 놀이를 할 것 같다
이모의 롤러가 연두색 페인트를 듬뿍 찍어
슥슥 나비 무늬 벽을 칠한다
롤러가 나비를 요리조리 피해 간다

연두색 벽에 노랑나비가 난다
도깨비는 창 너머 나무 뒤에 숨어서 구경한다
이웃집 트럭 아저씨가 반값에 이삿짐을 날라 주셨다
싱크대 아저씨도 삼만 원을 깎아 주셨다
이모랑 이모부가 처음 산 집
겨울이 오기 전에 집을 다 고치고
골목에 떡을 돌릴 거라고 하신다
그리고 이모네 집의 포토 존
공산성이 보이는 옥상에서 삼겹살을 구워 먹기로 했다
숙제하다가도 괜히 기분이 좋아
왜지? 생각해 보니
이모랑 이모부가 이사 오셨다

# 경칩

논물 고인 곳에 개구리들이 알을 낳았다
논두렁 옆 수로에도 올록볼록 개구리 알이 떠 있다
올챙이가 생기려는지 꿈틀거린다
오늘은 정월 대보름이고 '우수'다
한자로는 雨水라고 쓴다
봄비가 와서 논물이 고이는 날이라고 아빠가 가르쳐 주
셨다
정말 비 오게 생긴 글자라고 했더니
엄마는 올겨울엔 눈도 두 번밖에, 그것도 시늉만 했다고
도대체 하늘에서 내려오는 게 없다고 하신다
이런 걸 동문서답이라고 하는 거다
똑똑해라 정말 그렇네,라고 해야지

비가 안 와서
동네 어른들이 풍물을 놀았다
제를 올리고 떡이랑 나물이랑 과일을 논에 뿌렸다
냄새 맡고 멧돼지가 내려오면 어쩌지?
뒤뜰에 있는 누렁이가 걱정이다

우수 다음엔 경칩이라고 한문 선생님이 알려 주셨다

놀랄 경(驚), 숨을 칩(蟄)

벌써 봄이야?

겨울잠 자는 동물들이 깜짝 놀라 일어나는 날

올챙이는 언제 나올까?

언제 개구리가 될까?

작년에도 재작년에도 올챙이를 못 봤는데

개구리들이 갑자기 울어 댔다

하나 둘, 시~작!

누군가 신호한 것처럼

동그란 개구리 울음이

한꺼번에 천만 개쯤 구르기 시작했다

깜짝이야!

내가 놀라는 걸 개구리도 보고 싶었던 거다

# 손 없는 날

범준이가 하이킹 가자고 했다
손 없는 날이라 엄마랑 아빠랑 장 담가야 돼
오늘이 말날이랬어
뭐가 없다고?
손,
해코지하는 귀신이 없다고

사람들은 귀신 몰래 이사를 하고 귀신 몰래 장을 담근다
말날은 달력에 말이 그려진 날
옛날엔 신랑이 말을 타고 장가를 갔다
나라에 중요한 일이 있으면 대궐에서 말이 달려 나왔다
그래서 말날은 중요한 날, 좋은 날
우리 집 장 담그는 날
헐, 하며 범준이는 자전거를 끌고 가 버렸다
친구들은 이렇게 유식한 나를 할배라고 부른다

아빠가 메주를 씻어서 햇볕에 널었다
내 임무는 대나무 막대기로 소금물 젓기

먼지랑 잡티랑 떠오르면 걷어 내기
아빠가 항아리에 메주를 넣고 맑은 소금물을 부었다
엄마는 숯이랑 표고버섯이랑 매운 고추를 띄웠다
일흔 밤쯤 지나면 장을 가를 것이다
소금물에서 건진 메주는 으깨어 된장을 만들고
메주를 건져 낸 소금물은 간장이 된다

어른들은 우리 집 물이 맛있다고 한다
그래서 간장이랑 된장도 맛있다고 한다
그런 게 어떻게 맛있어?
엄마에게 물으니
우리 집은 바람도 햇볕도 다 맛있어
동문서답

## 대를 잇는 간장

이 집 저 집 담아 줬더니 간장이 바닥났다고
엄마가 장독을 들여다본다
항아리 안에 사탕 같은 것이 다닥다닥 붙어 있다
엄마, 이게 뭐야?
맑은 간장 빛깔 보석, 장석이야
오래된 씨간장 항아리엔 보석이 생긴단다
씨간장이 뭐야?
할머니한테 물려받은 간장
묵은 간장을 다 먹기 전에 햇간장을 채우면
간장이 끊어지지 않고 대를 잇게 되잖아?
할머니도 증조할머니한테서 씨간장을 물려받으셨지
오래된 간장이 좋은 거야?
그럼, 약이지 네가 배 속에 있을 때
우리 집 간장 한 숟가락 물에 타 마시면
입덧이 가라앉았어
증조할머니도 고조할머니한테서 간장을 물려받으셨을
까?
그렇담 우리 집 간장이 삼백 살은 되었겠네?

그럼, 씨간장 항아리에 보석이 그냥 생기겠어?
엄마, 얘가 배 속에서부터 간장을 마셔서 속이 시커메
누나에게 달려드는 순간 엄마가 말했다
무슨 소리,
삼백 년 간장만큼 속이 깊지

## 그렇게도 시시하고 행복한


잘 먹기
잘 걷기
잘 자기
가족을 알아보고 웃기
외할머니가 못 하시는 것,
그게 그렇게 중요한 거라는 걸 알았다

어머니, 오늘 기분 어떠세요?
엄마랑 아빠가 할머니를 만날 때마다 묻는 것
기분이 좋은 것
시시한 그것이
식구들에게 행복이라는 것도 알았다

외할머니는 아무 말도 안 하시지만
이렇게 많은 것을 가르쳐 주신다

# 2,190일

외할머니는 요양 병원에 오랫동안 누워 계셨다
미국에 사는 큰이모가 오셨다
이모가 외할머니 손을 잡고 말했다
엄마, 나 이제 괜찮아요, 나 이제 행복해요
그러니까 엄마, 제 걱정 안 하셔도 돼요
외할머니는 다음 날 돌아가셨다
이모는 사흘 동안 울고
미국으로 돌아가실 때까지 일주일을 더 울었다
엄마, 나 행복해요
그 말을 들으려고 육 년을 기다리셨나?
그렇게 아픈데도 2,190일이나 견디셨나?
내가 행복하지 않으면
우리 엄마 아빠도 그렇겠구나

## 짝사랑

요즘 우리 누나가 매일 상상하는 것은
밥을 삼 일 굶고 체육 시간에 운동장을 뛰다가 쓰러지는
것이다
때마침 운동장을 지나가던 오 샘이 누나를 업고 보건실
로 뛰어가신다
잠시 뒤에 눈을 뜨면 누나가 좋아하는 오 샘이
근심스럽게 내려다보고 있다
체육 선생님도 보건 선생님도 담임 선생님도 다만 배경
일 뿐
오 샘과 누나만 클로즈업된다

오 샘은 누나네 학교의 유일한 총각 선생님이다
누나는 내일 당장 일어날 일처럼 걱정한다
연약한 오 샘이 과연 나를 업고 뛸 수 있을까?
119가 올 거야 걱정 마
했더니 내가 지금 119를 부른 것처럼 째려본다

야, 근데 샘이 나보고 "열심히 살자"고 하셨어

그게 무슨 뜻일까?
그것도 모르다니, 맨날 교무실 기웃거리며 쫓아다니니까
할 말이 없어서 그러시는 거지
속으로만 대답한다
무슨 말인지는 모르지만 열심히 살아야겠어
누나는 수첩에
"열심히 살자"라고 쓴다
'열'의 'ㅇ'과 '히'의 'ㅎ'에 꽃 스티커를 붙인다

# 삼겹살은 사랑을 이긴다

누나의 다이어트 이틀째
체중계에 올라가 숫자를 뚫어져라 본다
호주머니에서 폰을 꺼내 소파에 던지고 다시 본다
수평이 안 맞나? 이 킬로쯤 더 나가는 거 같은데?
내가 올라가 본다
아닌데? 목욕탕에서 잰 거랑 똑같은데?
내가 뭘 어쨌다고 누나가 째려본다
오 샘처럼 깡말라야 핏이 좋은데 말이지
혼자 중얼거리는 병도 생겼다

추석 때까지는 반드시 오 킬로를!
누나가 맨날 하는 다짐을 굳히는 그때 하필
아빠가 마당에 숯불을 피웠다
할머니는 소쿠리 가득 상추와 쑥갓을 담아 오셨다
삼겹살 굽는 냄새가 솔솔 피어오르자
누나가 문을 박차고 달려 나갔다
나는 힐끗 보기만 했다
뭐라고도 안 했는데 누나가 소리 질렀다

야! 샘이 살쪄야지 내가 왜 굶냐?

무슨 소리냐고 아빠가 묻는데

커다란 쌈이 입을 막아서 누나는 대답을 할 수가 없다

## 나뭇잎 딸기

들에서 돌아온 엄마가
할머니 손바닥을 펼치고
나뭇잎에 싼 산딸기를 내려놓았다
그새 산딸기가 익었더냐?
할머니가 웃으셨다
에미는 아직도 하는 짓이 곱다,라고도 하셨다
엄마도 웃는 걸 보니 칭찬인 것 같다

할머니는 딱 두 개 맛보시고
누나 손에 나뭇잎을 옮겼다
누나는 엄마 입에 두 개
자기 입에 두 개 넣고
나머지를 내 손바닥에 올려놓았다
먹을 건 금방 입으로 들어가는데
파란 잎에 싸인 빨간 산딸기는 아기 같았다
먹을 수 없다는 생각이 처음 들었다

# 층간 소음

행복하다
어떻게 이런 일이

토란 옆에 아욱
아욱 앞에 배추
배추 앞에 무
무 옆에 골파
골파 앞에,
믿어지지가 않아
마당 옆 텃밭에
예쁜 나무집이 생겼다
트레일러가 집을 실어 왔다
정말 신기하다
화장실도 있고 다락방도 있다

"할머니가 먼저 주무세요."
"아이구 별나기도 해라. 조그만 게 있을 건 다 있네.
너희들이나 실컷 자라. 난 멀쩡한 내 방으로 갈란다."

"엄마 아빠 먼저 주무세요."
"맘에 없는 소리 말고 좋은 꿈 꿔."

가위바위보를 했다
누나는 언제나 보자기를 먼저 낸다
가위를 내고 후다닥 다락방으로 올라갔다
천장이 머리에 닿는다
조그만 유리창으로 도랑물 소리가 들어온다

토닥토닥 탁 탁 탁
이게 무슨 소리지?
직박구리가 지붕을 뛰어다니는 소리야
어느새 누나가 기어 올라왔다
꼬리 긴 직박구리가 개울로 휙 날아간다
데구루루 턱
상수리나무 가지가 우리 집 지붕에 열매 던지는 소리야
누나가 친절하게 가르쳐 준다
이게 층간 소음? 야, 층간 소음이라는 게 참 예쁜 소리구나 그치?
   목소리도 갑자기 다정해진다
   누가 모를 줄 알고?
   양보는 없다
   오늘 다락방은 내 거다

제3부

마을은
깊어 갑니다

# 선생님께 하는 부탁

1. 아침밥을 꼭 먹고 오실 것
2. 지각을 하더라도 잠은 푹 주무실 것
3. 무슨 핑계를 대서라도 하루쯤은 푹 쉬실 것
4. 기초적인 운동을 해서 몸매 관리를 하실 것(너무 많이 하지는 마실 것)
5. 항상 웃으실 것
6. 시도 때도 없이 웃지 말 것
……

중학생 제자가 적어 내려간 열두 가지 부탁을 읽습니다
이해되는 모순, 열다섯 소년이 사랑스럽지만
선생님과 똑같이 키가 167센티미터라고 하는데
머리를 쓰다듬어 주는 건 실례입니다
칠갑산 깊은 골에 사는 농부의 아들
요한이는 일찌감치 일어나
새벽밥을 먹고 첫차를 타고 우체국 앞에 내려
뽀드득뽀드득 새벽길을 걸어옵니다
교무실 담임 선생의 책상 위에

지난밤 정성껏 적은 교환 일기장을 올려놓고 갑니다

어린 제자의 선물 같은 부탁을 들여다봅니다
가장 바쁠 때 탁! 손 털고
하루쯤 푹 쉬어 보겠습니다
아침밥 따뜻이 지어 먹어야겠습니다
적당한 운동으로 몸매 관리도 해야겠습니다 너무 많이
는 말고

시도 때도 없이 웃지 말아야 할 텐데
세상이 환합니다

# 빽

슈퍼 다녀오는 길
구제역이 발생해서
벌써 세 번째 소독약 세례를 받을 참인데
반가워라, 방제복을 입은 우리 반 수봉이가 차를 세웁니다

와 수봉아, 너 알바하니?
나 쫌 전에 소독했어
세차도 했어

수봉이가 호루라기를 불면서
단호하게 불러 세웁니다
평소의 온순함은 간데없고
나는 모르겠다는 표정

에이 짜식, 안 봐주네
소독약을 또 하얗게 뒤집어쓰고 나자
절도 있게 손가락을 옆으로 뻗습니다
어서 가라는 뜻

차 안에 웃음이 터집니다
제자 잘 키웠네
선생이 돼 가지고 제자 보기 부끄럽지 않냐
어디서 빽을 쓰려고

좀 창피하긴 하지만 흐뭇하고 든든합니다
정직한 수봉이가 사는 마을
거기에 저도 삽니다

# '관' 대처법

혜연이 아빠가 학교에 불려 왔습니다
일 학년 여자애들이 남자 선배들한테 꼬리 친다고
동네 아파트 지하 주차장에 모이라고 했답니다
이건 강제 전학감이에요
혜연이의 담임 선생님
그 순한 분의 목소리가 카랑카랑합니다
앞집 사는 아이라
안절부절 눈치만 보고 있는데

짤라 버리슈!
툭, 장작개비 던지듯 튀어나온 말
전학 가믄 뭣 혀
여기서 새는 바가지가 어디 간다고 안 새겠습니까?
학교 다니믄 뭣 혀, 맨 못된 거만 배우는걸
아예 짤라 버리슈

혜연이 담임 선생님만큼 충격을 먹고 퇴근하는 길
마당에서 혜연이 아빠가 장작을 팹니다

눈이 안 마주쳐서 얼른 지나갑니다

혜연이 아빠가 그랬다고 하니
기수 아빠가 빙긋 웃습니다
그게 우리 농민덜이 관에 가서 쓰는 방법이쥬
큰 소리를 쳐야 돌아보니께요
기수 엄마도 웃습니다
그 무뚝뚝이 순딩이가 딸 걱정은 엔간히 하나베
꾀를 다 쓰고

# 우리 모두 파이팅!


지수가 시험을 잘 봤다고
지수 엄마가 만두를 오백 개나 빚었습니다
솜씨 좋은 문녕이 엄마가 도왔습니다
만두 맛도 일 등이여
칭찬이 오고 가고

고등학교를 어디로 갈지
엄마 아빠만 고민일 뿐
무한 긍정 문녕이는 오늘도 지수보다 더 신났습니다
그려 모두 일 등만 할 수 있나
우리 문녕이가 동네 이장은 떼 논 당상이니께
혀를 차면서 푸짐하게 만두를 쪄 내는 문녕이 엄마

지수 엄마가 부러운 것은 사실이지만
기특한 지수를 예뻐하는 마음에는 거짓이 없습니다
지수는 우리 동네 아이들을 가르칠
미래의 선생님이거든요
모교로 돌아와 선생님을 하겠다는 확고한 꿈

무슨 과목을 가르칠 거냐 물으면
다 가르칠 수 있다 대답하는 당당함
우리는 지수에게 잘 보이기로 했습니다

문녕이는 지수가 아이들을 가르치는 마을에서 살 거랍
니다
웃음이 터집니다 잔치가 잔치답습니다
동네의 실세는 이장님이죠
우리는 또 문녕이에게 잘 보이기로 합니다

노래 잘하는 문녕이 아빠 숟가락 마이크 들고 일어섭니다
건배사는 미래의 이장님 모친이 하셨습니다
문녕이가 이장님이 되고 지수가 선생님이 될 때까지
우리 모두 파이팅 해유!
오늘도 문녕이네 식구들이 열일했습니다

# 야생

아람이가 운동장을 가로질러 달려갑니다
악악 소리 지르며 야트막한 언덕을 기어 올라가
뽕나무 가지를 향해 펄쩍펄쩍 뛰어오르더니
팔을 휘두르며 달려옵니다
세빈이가 뒤를 이어 달려갑니다
예영이가 차례를 기다리고 있습니다
이 야생마들의 이름을 가장 먼저 알았습니다

가만히 있어도 땀이 줄줄 흐르는 여름에
시험이 얼마 남지 않아
모두 에어컨 아래서 고개도 들지 않는데
점심시간 텅 빈 운동장에서
고독하고 해괴한 뜀박질이 이어집니다

지혜가 초를 잽니다
단순한 달리기가 아니라
오디를 따서 입에 넣고 돌아오는 시합이랍니다
아래 가지 오디는 벌써 다 따 먹어서

갈수록 미션이 어려워집니다
땀에 젖은 얼굴이 빨갛게 익었습니다
잇몸이랑 혓바닥이랑 온통 오딧빛을 해 가지고
서로 자기가 더 빨랐다고 옥신각신합니다

괜히 울컥합니다
힘들었던 수업 시간
열받았던 기억 다 어디로 가고
표 나게 편애하고 싶습니다

# 마흔여섯 살 엄마

실은 초등학교 때 엄마가 돌아가셨다고
혜란이가 비밀을 털어놓은 것은
내교 통지서 때문입니다
기초 조사서만 보고
무심하게 물었습니다
선도위원회에 엄마를 오시라고 할까,
아빠를 오시라고 할까?

일요일까지만 참아 주시면 안 돼요?
주말엔 언니가 기숙사에서 오거든요
언니랑 재밌게 지내고 싶어요
월요일에 혼날게요

방송에 나왔다시피 집배원 한 명이 과로사해서
그의 업무를 나눠 하느라 도저히 시간을 뺄 수 없다고
우체국에 다니는 아빠는 거듭 사과하셨습니다
기초 조사서를 다시 열어 봅니다
작고 예쁜 글씨로 적혀 있는 엄마 이름

돌아가신 엄마는 해마다 딸과 함께 나이를 먹어
마흔여섯 살,
'나와의 친밀도'는 '중간'입니다
곁에 있지만 곁에 없는 엄마를
중간에 둔 마음

아빠의 카톡 프로필에
두 딸이 가득합니다
바닷가에서
벽화마을에서
두 딸과 함께 선 아빠가
브이를 그리고 있습니다
그 브이를 응원하기로 합니다

## 핵인싸각

국어 선생이 해석할 수 없는 국어가 너무 많아
핵인 싸각이 뭐야?
대학 도서관 앞에 이런 플래카드가 걸려 있더라?
'여기 오면 핵인싸각 빼에에에엠'
칠판에 옮겨 적는 순간 웃음이 터집니다

얼마나 답답하셨을까?
'핵인 싸각'이 아니고 정확히 나누면 '핵 인싸 각'이에요
핵은 접두사, 최고! 인싸는 인사이드
아웃사이더의 반대말이에요
거기 가면 완전 인기쟁이가 된다는 말이에요

얘들아, 각을 뭐라고 설명해 드리면 좋을까?
각도? 포즈? 그림? 가능성?
그러니까 오기만 하면 그냥 인싸라는 거죠
빼에에에엠은 그냥 빼에에에엠이에요
감탄사예요 후렴구 같은 거요

선생을 이해시키려고 앞다퉈 설명하는 목소리
활기와 선의와 즐거움이 가득 찬 교실에서
너무 귀여워요!
뜻밖의 칭찬까지 덤으로 얻습니다

이렇게 신나게 가르친 적 있나
모르는 아이들을 이렇게도 즐겁게 해 준 적 있나
세상 무서운 줄 모르고 선생으로 살았습니다

## 첫 마을, 아침

어린 물결은 아직 얼음 속에 있습니다
나지막한 산이 먼동을 흔들고
졸음 겨운 해를 바삐 밀어 올립니다
나무 그림자가 물속에서 잔가지를 폅니다
아랫목만큼 강이 열리자
오리 떼 얼음판을 비켜 내려앉아
새순 같은 햇살을 쪼아 댑니다
물결이 일어나 오리 궁둥이를 따라갑니다

눈 속에 물 배달 온 슈퍼 총각은
신발이 젖었다며 붉은 코를 찡그렸지만
마른 양말 한 켤레 줄 틈 없이 가 버렸지요
어머니가 따로 챙겨 주신 양말이 있다고
목장갑 손 흔들며 웃었지요
흰 김 뿜어내는 발가락들의 아침

오늘 아침도 강물은 오리 떼가 깨웠습니다
우리 동네 아침은 오늘도

우리 동네 사람들이 열었습니다

## 하느님의 작은 마을

과수원 할머님 댁 개 소심이는 뒷산에 새끼를 낳곤 해서
이번에도 승겸이가 덤불 속에서 찾아왔습니다
사흘 내린 산비를 쫄딱 맞고도
네 마리 다 건강하게 살았습니다
눈도 못 뜬 강아지들이 개집 밖으로 기어 나오면
어미 품에 던져 넣어 주는 몸짓이
영락없이 과수원집 할머니 손자입니다

배 봉지 싸는 날
수육이랑 상추쌈 푸짐한 밥상 앞에 앉은 이웃들
나무 하나씩 맡아 배 밭에 노란 봉투꽃이 피어납니다
풀씨를 잔뜩 붙이고 승겸이를 따라 뛰는 소심이
엄마랑 제 손목에 토끼풀꽃 커플 시계를 묶은 승겸이
배 봉지 싸는 엄마에게 꿀풀 하나 따 주면서
아기 배가 무섭지 않게 넣어 주라고 합니다

# 알고 보니

올봄에도 아이들이 쑥 뜯으러 나올 거라고
동네 어른들은 둑길에 제초제를 뿌리지 않았습니다
쑥 뜯는 동안 자동차가 한 대도 지나가지 않은 것은
다들 뒷길로 돌아가셨기 때문입니다

공부 안 하고 놀러 나온 게 좋아서
장난치고 도망가고 야단법석
그래도 쑥이 모자라지 않았던 것은
방앗간 사장님이 뜯어 놓았던 쑥을
한 소쿠리 보태 주셨기 때문이에요

학교 앞 솔로몬문방구랑 스마일분식, 독립상회까지
떡을 돌리고도 전교생이 실컷 먹을 수 있었던 것은
엄마들이 쌀을 듬뿍듬뿍 퍼 주셨기 때문이지요

아이들이 자라는 만큼
선생도 자라고
마을은 깊어 갑니다

제4부

풋

# 풋

봄가을 텃밭의 어린 배추랑 무로 담근 김치
봄에 새로 나온 풀과 나무의 여린 싹으로 무친 나물
꼬투리 속의 아직 덜 여문 콩
매운 맛이 덜 든 푸른색 연한 고추
깊이 들지 못한 잠

공책에 사각사각 옮겨지는 문장들
접두사를 배우는 국어 시간
연필 끝에서 새순처럼 피어나는 말
풋,
풋김치 풋나물 풋콩 풋고추 풋잠
만화 속의 눈이 큰 소녀가 입을 가리고
볼우물 만들며 웃을 때 나는 소리 같은
풋,

얼갈이 풋김치 꺼내 놓고
찬밥에 물 말아 먹기 바쁘게 뛰어나가던 어린 날
풋고추에 된장 찍어 먹고 달려 나오던 친구들

도랑 가의 돌미나리, 뒷산의 홋잎나물
살짝 데쳐 내면 찬물에 파아랗게 살아나던 빛깔
참기름에 조물조물 무쳐 양푼에 밥 비벼 놓고
밥 먹어라, 부르던 엄마 목소리
그 맛과 고소한 냄새를 전하고 싶어
침이 고입니다

그게 시각적 미각적 후각적 심상이죠?
귀여운 잘난 척에 엄지를 세우며
누가 이렇게 잘 가르쳤느냐, 맞장구를 칩니다

이십 년을 한결같이,
다른 일을 했으면 달인 중의 달인일 텐데
날마다 초보이고 해마다 새로워
영원히 풋내 나는 선생은
콩꼬투리 속에서 무릎 맞대고 익어 가는 중입니다

# 물건

잔뜩 긴장한 얼굴, 입속으로 중얼거리는 말
수용이는 현재 콘돔을 갖고 있지 않답니다
가져오긴 했지만 화장실 쓰레기통에 버렸답니다
자기가 산 게 아니고 형아가 샀는데
할머니한테 혼날까 봐 학교로 가지고 왔답니다
친구들 나눠 준 게 아니고 보여 주기만 했는데
선생님한테 일렀답니다

선생님, 이제 수용이 강전당하지요?
놀란 아이들 가운데에 서서 수용이는
붉어졌다 하얘졌다 노래졌다 합니다
웃음을 참고 학년 주임 선생님께 보냅니다

아침 8시부터 8시 20분까지
열흘간 운동장을 돌며 휴지 줍기
학년 주임 선생님께 검사를 받고
교무실 칠판에 붙은 벌칙 확인서에 사인하기

뭘 잘못해서 왔는지
바쁘신 학년 주임 선생님은 자세히 묻지도 못하셨습니다
웅얼웅얼 입속말이 답답한 선생님이
객관식으로 바꾸셨습니다
사람이야? 물건이야?
친구를 때리거나 놀렸느냐,
남의 물건을 부수거나 허락 없이 썼느냐,
선생님의 말뜻 빤히 알면서도
녀석은 조그맣게 대답했습니다
'물건'이라고

'징계 사유: 물건'
선생님은 교무실 칠판에 그렇게 써 붙이셨습니다
하루도 안 거르고 일 분도 늦지 않고
아침 청소 잘한다고 사탕도 받고
벌이 끝나 갈 즈음
비로소 징계 사유를 알게 된 선생님은
얼굴이 빨개지도록 웃습니다

# 동병상련

선생님 어디가 아프세요?
덥기도 하고 춥기도 하고
토할 것도 같고 배도 고프네
난감한 표정의 강민이가 예에, 하더니
머리를 긁적이고 지나갑니다

보건실에서 연후를 만났습니다
아까도 보건실 가더니 또 왔네
평소 같으면 그렇게 말했을 텐데
기운이 없는 게 다행입니다
연후가 근심스럽게 쳐다봅니다
저도 더위 먹어서 나흘 동안 죽는 줄 알았어요
평소 같으면 또 이렇게 말했겠지요
우리 연후가 안 아픈 날이 있어야 말이지

식은땀이 나고 온몸이 아프더니
조퇴하고 교문을 나서면서 두통이 조금씩 가라앉습니다
의사 선생님이 담임 선생처럼 말합니다

머리가 자주 아프시네요
이번엔 편두통이 아니에요 메슥거리고 어지럽고 소화도
안 되고, 게다가……
약은 다 마찬가지예요 삼 일 치 지어 드리겠습니다

정말 서운합니다
연후도 그랬을까?
처음으로 감정 이입이 됩니다
선생도 가끔 아플 필요가 있습니다

# 교환 일기

'설아라는 아이를 만나는 날'

아주 신나는 날. 왜냐, 설아라고 내가 좋아하는 애를 만난다. 왕캡숑 왕기대. 빨리, 진짜 빨리 만나고 싶다. 설아야~~
정말 디따 보고 싶어.

수학여행 가서 니가 아주 느끼한 목소리로 전화하던 애가 설아니?
"춥다구? 내가 금방 갈게. 우리 정동진에서 학교까지 걸어가자." 어쩌구, 옆에 앉아서 내 속을 느글거리게 했잖니? 설아도 아니? 니가 어제 종민이를 때려서 담임 선생님에게 엉덩이를 맞았다는 거, 그리고 오늘 점심시간엔 내 떡볶이, 내 튀김, 앞에 있는 친구의 밥까지 뺏어 먹어 친구가 기분 엄청 나빴다는 거, 주영이에게 육천 원 꿔 가서 아직 안 갚은 거, 책은 절반이 없어졌으며 공책도 거의 없다는 거. 언제 같이 만날래? 너의 담임으로서 내가 설아에게 해 줄 이야기가 아~주 많다.

아, 선생님 머예요. 질투하시는 거예요? 저는 얼른 졸업

하고 돈 벌어서 설아랑 결혼하는 게 꿈이에요. 선생님 딸
도 이쁘지만, 선생님은 제가 사위 되는 거 절대 싫다고 하
셨잖아요. 공부도 안 하고 학교도 잘 안 오는 놈한테 누가
딸을 주겠느냐면서요.

　일기를 읽으면서, 시시한 답글을 달면서 웃습니다. 준영
이가 참 만만합니다. 인정하고 싶진 않지만 이 불량한 놈
을 약간 이뻐하는 것 같기도 합니다. 무슨 일인지 모르겠
습니다.

# 소심한 복수

요즘 정말 기분이 나쁘다. 승질 난다. 김설아! 문제는 설아. 내가 김설아를 좋아한 지도 벌써 석 달이 다 돼 간다. 토요일에 만나기로 했는데 약속 시간이 넘어서도 오지 않았다. 할 수 없이 집에 다 와 가는데 전화가 왔다. 설아였다. 난 기분이 좋아서 집에 들어가지도 않고 다시 설아를 보러 갔다. 그런데 한 시간도 못 돼서 헤어졌다. 설아가 내가 싫다고 한다. 충격적이었다. 내가 얼마나 좋아했는데. 난 눈물이……

속상하겠다. 설아를 무척 좋아했는데. 왜 싫은지 물어봤니? 준영이가 사실은 괜찮은 놈인데…… 하지만 설아가 생각 잘했다. ㅋㅋㅋ 설아도 떠났는데 이제 공부 좀 하지? 할 일도 없는데.

……

웬일로 대답이 없습니다. 선생님이 어떻게 이럴 수 있느냐, 선생님 맞느냐, 이래서 내가 학교 오기 싫은 거다, 이렇게 나올 줄 알았는데, 정말 마음이 아픈가? 실연의 상처를 딛고 좀 크려나? 짜장면이라도 한번 사 줄까? 괜히 신경 쓰입니다.

# 부부라는 말

티브이나 영화를 보면 친구에서 연인, 연인에서 부부가
되는데
나는 부부라는 말이 디빵 좋다 왜냐? 나도 그럴 거니까
송미영이라는 애랑은 초딩 친구, 근데 중학교 들어와 사
귀게 되었다
그러니 친구에서 연인이다
내가 나이를 더 많이 많이 먹어 연인에서 부부가 되고
싶다 꼭! 되고 싶다
지금 아주 오래가고 있어요
아주 많이 행복해요 디빵 미영이가 사랑스럽고요
좋아 죽겠어요

야! 너 이 일기장 바로 앞 장 좀 읽어 볼래?
사람이 그러면 못쓰지
어떻게 종이 한 장 차이로 죽고 못 사는 여학생이 바뀌
니?
어젠 또 왜 안 왔어 왜 전화도 안 받아 이노무 시키야
주영이 돈은 갚았어? 너 때문에 위장병이 도로 생길 것

같아

　아내가 세상을 뜬 뒤 돈 버느라 바쁜 아빠는 늘 똑같은
말씀
　"아이고 어쩌면 좋을지, 아이고 죄송합니다."
　그런데 이상한 것은 녀석이 밉지 않습니다
　부부라는 말이 디빵 좋다
　글씨가 그게 뭔지, 발가락으로 써도 그보단 잘 쓰겠다
싶은
　그 문장이 심지어 콧등을 시큰하게 합니다

# 꽃밭에서

거미가 줄 쳤어요
지렁이 나왔어요
메뚜기 있어요

들꽃반에 와서도 꽃은 안 보고 천방지축
벌레들만 가지고 놀아서 혼자 꽃을 봅니다
녀석들은 뛰어놀아서 좋고
원추리 꽃대궁 마른 자리에
연보랏빛 벌개미취 바람결에 피어나
그 속에서 정지용의 시처럼
아무렇지도 않고 예쁠 것도 없는 내가
맨발로 호미질을 합니다

이거 풀이에요? 뽑아요?
풀도 꽃이야 인마, 잡초는 없어
선생님은 질투가 나서 뽑는 거야
저희끼리 묻고 선생을 흉내 내어 대답합니다

등불 켠 듯 온통 꽃인 밭에서
이만하면 나의 생도 꽃답습니다

# 우린 운이 좋다 언제나

선생님 부탁이 있어요. 나중에 제가 결혼하고 아이들을 낳으면요, 선생님이 보살펴 주실 수 있으세요? 제 아이들도 선생님이 해 주시는 말씀을 들으면서 자라면 좋을 것 같아요. 엄마한테도 이야기해 봤는데요, 엄마는 펄쩍 뛰세요. 그때는 선생님도 노후를 즐기셔야지, 왜 네 아이들을 맡아 고생하시느냐고요.

밤톨 같던 중학생의 말을 떠올리며 혼자 웃지. 잘 살고 있니? 한의사가 되어서 동네 어르신들 잘 보살펴 드리겠다 했지. 장날마다 첫차로 한의원 출근하시는 뒷집 할아버지를 보면 네가 생각난다. 침 맞고 친구분들과 설렁탕 한 그릇, 네가 우리 동네 한의원을 연다면 나도 그럴 것 같아. 김영희 선생님이랑 김정민 선생님, 다 거기서 만나겠지. 셋 중에 누가 뾰루퉁하면, "싸우셨어요?" 하고 물어볼지도 모르겠네. 영희 샘이랑 싸움 비슷한 걸 한번 하긴 했단다. 이유는 잊어버렸지만 영희 샘이 잘못한 거겠지. ^^

학교에 나무 한 그루 심을까요? 나무는 제가 살게요. 나중에 우리 아이들이랑 학교에 찾아오게 될 때, 이게 아빠 중학생 때 담임 선생님이랑 심은 거라고 말해 주고 싶어요.

그래서 청양 장날, 벚나무 묘목을 샀지. 나무 하나쯤 아무렇지도 않게 베어 버리는 교장 선생님의 눈에 띄지 않는다면, 우리 학교 운동장에 벚꽃이 날릴 때 너의 예쁜 아이들은 나비처럼 팔랑거리겠구나.

사는 게 만만치 않지? 마음먹은 대로 다 되면, 그게 꿈이겠어? 도무지 되지 않는 일을 밀고 나갔던 긴 시간이 낭비였던가, 잘못 갔던가, 신발 끄는 소리마저 얼어붙는 밤 어깨가 시려 올 때 늦도록 불 끄지 않고 나를 생각하는 창문 하나가 이 세상에 있다는 걸 믿는 것, 꿈꾸는 사람의 표적은 그런 것이더구나. 우리가 걸어온 모든 길은 결국 우리가 걸어갈 길과 이어진 길이므로 한 걸음도 헛될 수가 없다고, 너에게 그리고 나에게 편지를 쓴다.

꽃과 나비의 자리, 향긋한 한약 냄새 떠도는 골목, 그것들을 상상했던 시간이 우리가 싸 두었던 도시락이란다. 외롭고 허기질 때 풀려고. 일단 든든히 배를 채우자. 묵직한 배낭을 둘러메고 자, 신발 끈 단단히 묶고 다시 가볍게. 영광아, 우린 운이 참 좋다. 언제나.

# 그냥 나

장래 희망이 그냥 나?
학생부 다 채워야
담임의 한 해가 마감된다는 거
뻔히 알면서 협조 안 할래?

잘 모르겠단 말이에요
그걸 지금 어떻게 써요? 그것도 딱 하나를
선생님은 중학생 때 장래 희망 결정했어요?

당연히 했지
현모양처

그게 뭔데요?
암튼 그래서 그거 되셨어요?

그거 빼고 다 됐다, 왜!

거봐요, 선생님도 뜻대로 안 됐잖아요

'그냥 나'가 정답이에요
다 아시면서

됐고, 엄마는 니가 뭐가 되면 좋으시겠대?
'그냥 너'래요

2 대 0!
교무실에 웃음과 박수가 터집니다

퇴근길에 생각합니다
어디서 배웠는지 기억도 나지 않는 말, 현모양처
무슨 말인지 알지도 못하면서 써넣은 장래 희망이
때때로 어설픈 흉내를 내게 하진 않았나
죄 없이 주눅 들게 하진 않았나

뭐 되려고 애쓰지 않겠다,
언제나 그냥 나로 살겠다,
어떻게 저렇게 멋있을 수 있나

이제라도 그냥 너로 살아라,
녀석이 지금 나한테 그러는 거 맞지요?

# 즐거운 인생

여름 방학 첫날
속닥속닥 준비한 학급 여행
여러분 안녕하세요!
관광버스 기사님이 마이크를 들었습니다

아저씨는 운전대를 잡는 순간 프로입니다
강화도를 향해 출발!
노래 한 곡 선물합니다
즐거운 인생!

함성과 함께 강민이의 어깨가 올라갑니다
기사님은 강민이의 아빠
교육 과정에 의한 체험 학습도 아닌데
사고라도 나면 어쩌지,
쫄밋거리던 마음이 쿵작쿵작 박자를 탑니다
기사님이 든든한 교장 선생님 같습니다

강화도 출판사 사장님이

마을 어귀까지 나와 두 팔 벌려 맞이합니다
밭으로 갯벌로 이끌고 다니며
아이들보다 신나게 놉니다

아이들은 선생을 잊어버렸습니다
세상에 이렇게 공짜인 날도 있나
빨리 자라는 사람도 없고
떠들지 말라는 사람도 없는데
원 없이 놀아 버린 녀석들이 세상모르고 잡니다

아이들이 옆에 없는 것 같습니다
책임져야 할 아이들이 너무 많다고 느꼈던 것은
행복하지 않은 아이들이 많다는 뜻이었을까
학교로 돌아갈 땐 이 행복도 놓고 가야 하는 것일까
어쨌든 오늘은 즐거운 인생입니다

제5부

가만히
바라보는

# 참외를 고르는 법

참외를 살 땐 코를 대 보는 거란다
꼭지에서 단내가 나는 참외가 맛도 달거든
참외가 익어 가면 바람도 달콤해지지
향이 너무 진한 건 딴 지 오래된 참외야
몇 번 맡다 보면 저절로 구별하게 되지
싱싱하고 맛있는 참외를 고르려는 마음이
참외를 보는 눈을 뜨게 하거든
그렇지만 좋은 것만 골라 담지는 말자
오늘 지나면 못 팔 참외도 섞어서 사면
주인도 손님도 행복하겠지
룰루랄라 과일 봉지 안고 돌아오는 걸음이 음표 같겠지
노란 참외 향 밴 바람도 따라오겠지

## 이거다, 싶은


선생님과 아이들의 교환 일기장
엄마 아빠도 함께 써야 한다는 말을 듣고
가슴이 두근두근했어
글을 써 본 게 언제인지
아빠랑 사귈 때 주고받던 편지
그 이후론 처음이야

고생은 나 하나로 족하다
요즘 세상에 농사꾼이 웬 말이냐
외할머니가 결혼을 반대하셔서
편지마다 눈물에 젖었더랬지

다시 태어나도 농사꾼과 결혼할 거냐고?
음, 그렇긴 한데
그땐 아빠 말고 다른 농사꾼이었음 해
엄마가 파마한 거 좀 알아보고
비 오는 날이면 파전에 막걸리 대신
엄마랑 카페에 가서 커피 한잔하는

그런 농사꾼과 살아 보고파

그래서 아빠가 싫으냐구?
아빠가 그랬어
세상에 이거다, 싫은 건 없는 거라고
아빤 멋은 없지만 엄마의 뱃살을 탓하지 않고
엄마 코 고는 소리가 음악보다 좋대
안 아프고 잘 자는구나, 안심이 된대
멋진 현빈하고 살면 코도 못 골겠지
양배추와 브로콜리와 닭가슴살만 먹어야겠지

이거다, 싫은 것이 있는 것 같기도 해
늘 허허 웃는 아빠
맛있는 건 할머니 입에 먼저 넣어 드리는
우리 아들과 딸
그리고 엄마에겐 드높은 꿈도 있지
다이어트에 성공해서 올봄엔 반드시
꽃분홍 투피스를 사 입을 거야

생각해 보니 엄마한테는
지금이 딱이야

## 주공 아파트

호박고지 붉은 고추 마르는
저 한 칸 한 칸 주차장이 좋아
현관에서 엘리베이터까지 열다섯 걸음인 게 좋아
컴컴한 지하 주차장 공동 현관 비밀번호 그런 거 없어서
좋아

계단을 오를 때 양쪽으로 마주 보는 현관문
두 집 사이가 가까워서 좋아
곶감이 마르는 베란다가 좋아
푸른 숲도 멋진 강도 아니고
우리 집과 똑같은 앞 동이 풍경인 게 좋아

안 가 봐도 알지
방 두 개, 거실 하나, 화장실 하나
저녁은 김치찌개
아침은 된장찌개
주말엔 삼겹살

우리 집을 지나간 바람이
앞집으로 불어 가고
앞집을 건너온 바람이
우리 집에 오고

혼자 사는 사람들도 덜 외로워서 좋아

# 해 질 녘

어둡기 전에 먹고 치우자
어른들은 말씀하시곤 했지
불 켜 놓고 밥하는 집은 무슨 일이 있는 거지

쌀뜨물은 작은 옹솥에 부어 두었지
중솥의 밥물이 끓어 넘치면
불을 빼어 옹솥 아궁이로 옮기는 거야
뜨물에 김치랑 두부랑 콩나물 넣고 된장 한 숟가락
밥 짓고 남은 불만으로도 맛있는 김칫국이 되었어
그 정도는 원래 아이들이 하는 일이야
물에 젖은 바짓가랑이는
아궁이 앞에서 따스한 김을 피워 올렸지

밥이 뜸 들고 국이 끓고 나면
불을 깊숙이 밀어 넣고 아궁이를 막아 주었지
그래야 새벽까지 방이 식지 않거든

해 질 녘은 이제 그만 허리를 펴라는 시간

따뜻한 밥과 잠자리를 위한 시간
해 뜨면 일어나고 해 지면 눕고
새가 일어나면 사람도 일어나고
사람이 잠들면 외양간도 돼지우리도 잠잠해지고

달빛이 만들어 준 제 그림자에 놀라
늙은 개가 헛기침처럼 한두 번 짖어 볼 뿐
머리맡에 가끔 내려앉는 별은 있어도
깊은 밤 잠자리까지 따라오는 일은 없었어

밥 먹을 때 밥 먹고 잘 때 자는
그게 가장 큰 공부라는 것을
엄마도 그땐 몰랐어

# 물음표를 붙이려다

너를 낳은 것은 스물아홉 살 때였어
한 이틀, 혼자 힘으로 돌아눕지도 못했지
병원 복도에서 할머니 환자들이 말을 걸어 오셨어
딸이라매? 아이구 그렇게 고생했는디 딸을 낳아서 어쩐댜
병원에 소문이 날 정도로 너는 힘들게 세상에 왔어

조그만 아기는 물방울 같았어
옆에 단단히 누워 있는 것 같질 않고
쥐면 꺼질까 불면 날까,
바로 그 말이었어
아침에 눈을 떠서 잠들 때까지 하루가 온통 숙제였지
왜 배꼽이 안 떨어지지?
왜 열꽃이 피지?
왜 토하지?
아무것도 모르는 엄마를 찬찬히 가르치면서 너는 자랐지
그렇게 고생해서 나왔는데 엄마가 하필 초보라니

그러나 너는 물음표를 안 붙이는 딸

저녁밥도 안 주고 어디 갔지?

밤새도록 드라마를 보면 아침에 어떻게 출근하려고 그
래?

그렇게 묻지 않는 딸

너를 낳고 학교에 가니 그 학교가 아니었어

그 아이들이 아니었어 눈이 부셨어

튼튼한 나무 같고 영근 이삭 같았어

잘 컸구나 고맙다,

감탄이 절로 나왔지


나도 물음표를 붙이려다 맘을 바꾸지

왜 숙제를 안 해 왔어? 그 말 꿀꺽 삼키고

깜빡깜빡 잊는 건 날 닮았구나, 짐짓 그렇게 말하지

그 반항적인 눈은 뭐야? 하는 대신

두려워하는구나, 생각도 하고

네가 세상에 온 뒤 엄마는 그런 선생님이 되었지

# 너무 작은 여치

엄마, 엄마, 빨리 와 봐 방에 벌레가 들어왔어
파랗고 날개가 있는 거야
으응, 여치야 괜찮아
설거지를 마저 하고 갔을 때
여치는 사라지고 없었어

여치는 물지 않아 괜찮아
울먹거리며 넌 말했어
너무 작단 말이야
내가 밟을까 봐 걱정된단 말이야

어린아이 같지 않으면 천국에 갈 수 없다는 건
어린아이 아니면 천국이 천국인 줄 모른다는 말 아닐까

걸레질을 하는 무릎 앞으로
어린 거미 한 마리 지나가네
여전히 엄마는 거미를 만지지 못해
미안한 맘으로 화장지에 싸서 내보내 주었어

작고 여린 것들의 세상

모르고 밟는 죄 저지를까 봐

## 멋진 계획


엄마, 우린 왜 집이 없고
맨날 주인아저씨네 집을 빌려서 사는 거야?
우리도 집 짓자
색칠은 내가 할게
엄마가 물감이랑 나무는 사 줘야 한다?
상쾌해진 엄마는 당장 그러마고 약속했어
이번만 이사하고 다음엔 꼭 집을 짓겠다고

엄마, 내 계획은 멋~져
숲속에 나무집 짓기
친구들과 밤 소풍 가기
별자리 찾기 시합
돌아와서 다 같이 자기
일어나서 샘물로 세수하고 학교 가기
어때, 멋지지?

어떤 밤엔 창을 열고
푸른 별과 별을 이어 손가락 그림을 그렸지

큰곰과 독수리와 거문고를
또 어떤 밤엔 흩어진 별들을 모아
작은 청거북과
깜순이가 낳은 강아지의 별자리를 만들어 주었어

나뭇가지를 물어 나르는 새처럼
가볍게 둥지를 짓고
아침마다 샘물로 세수하는 딸과
밤 소풍을 다녀와
다 같이 자는 아이들의 세상이
한사코 믿어져서
엄마의 인생은 물감처럼 고와지곤 했지

## 말 안 해도 돼

엄마도 그랬어
은이가 학교에서 말을 전혀 하지 않아요
그 말씀 하시려고 선생님이 가정 방문 오셨다가
할머니와 도란도란 옥수수를 먹고 가셨지
말을 안 해유? 원래 말을 많이 하는 애는 아니지
할머니의 대답처럼 싱겁고 평화로운 오후였을 거야

추수 끝난 논두렁에 남아 있는 개여뀌도
한참 만에 생각난 듯 한 발 뛰는 메뚜기도
장독 사이에서 낮잠 든 고양이도
고양이 꼬리 옆에 앉은 민들레도
말 안 해
그래도 아무도 뭐라고 안 해

엄마도 옆집 세희처럼 말을 안 했어
그렇지만 늘 친구들 속에 있었지
고무줄놀이, 핀 따먹기, 공깃돌 놀이, 사방치기
시끄러운 애도, 말 안 하는 애도, 동생 업은 애도 잘 놀았지

아무도 불편하지 않았어

말문이 열릴 때가 있겠지
아직 때가 아닌가 보지
우리가 할 일은
세희를 가만히 바라보는 것
오후의 햇살처럼
말없이 말하는 것
개여뀌 곁의 메뚜기처럼
느릿느릿 사귀는
고양이랑 민들레처럼

# 딴짓의 힘

수필 한 편 쓴다고
일주일 내내 컴퓨터만 켜 놓고
냉장고를 열었다 닫았다
화장실을 들락날락

쟤가 지금 대하소설을 쓰나?
식구들은 놀리며 웃지만
엄마도 장독에 괜한 걸레질을 할 때가 있지
풀도 없는 텃밭을 호미로 긁어 대거나
책꽂이 앞을 서성대며 이 책 저 책 뽑아 들곤 하지
그렇게 느슨한 때가 속으론 가장 바쁠 때거든

도무지 뾰족한 수가 없는
이렇게 해 봐도 저렇게 해 봐도 그저 그런
그 시간이 실은 오롯하고 또 골똘한 거였어
거기 모든 완성의 실마리가 숨어 있는 거였어

멍하니 창밖도 보고

일없이 이 방 저 방 어슬렁대고
고양이처럼 늘어져 졸기도 하면서
무수한 첫 문장을 지우고 또 지웠겠지
바로 그거야
파지 같은 시간을 구겨 버리지 말고
한 장 두 장 넘길 줄 알아야 해
고독했던 딴짓이 어느 날 뜻밖의 전구를
반짝 켤 때까지

그게 바로 시작이고
그 시작이 반이야

# 거룩한 일상

젖은 빨래를 반듯이 펴서
차곡차곡 포갰다 널면
다림질 안 해도 새 옷처럼 반듯하지
양말도 대충 걸지 말고 짝 맞춰 나란히

사소한 일을 정성껏

흙 씻어 낸 호미를 헛간 벽에 걸 때
할머니는 호미 자루에서 손을 떼지 않으시지
휙휙 집어 던지지 않으시지
개켜 놓은 이불 위에 베개를 올릴 때도
수저를 식탁에 놓을 때도
설거지한 그릇을 포갤 때도

호미와 벽은 평화롭고
가만히 이불 위에 내려앉는 베개는 포근하고
나란히 걸린 양말은 사뿐사뿐 하늘을 걷지
수저도 그릇도 주인처럼 정갈하고 고요하지

서두르지 말고 천천히

그런 어느 날 우린
햇볕을 품고 바람에 나부끼는 시간을 알게 되겠지
젖은 마음일 때도 천천히 주름을 펴는 법을 알게 되겠지
나를 함부로 동댕이치지 않고 살게 되겠지

# 아이들과 함께 꿈꾸는 작은 낙원

크고 화려한 것들에 짓눌린 아이들에게 주는 산소마스크

**복효근** 시인

　최은숙 시인의 청소년시를 읽으면서 '시가 어떻게 태어나는
가' 곰곰 살펴보았습니다. 이 시집에 실린 시는 시인의 기발한
상상으로 지어낸 작품이라기보다는 아이들과 '함께' 웃고 울
고 부대끼면서 살아가는 삶 속에 담긴 의미를 찾아 기록한 것
임을 알게 되었습니다. 시를 읽다 보면 시는 '짓는다'기보다는
'쓰는' 것, 더 정확하게는 '받아쓰는' 것이라는 말에 동의하게
됩니다. 모든 시가 다 그러한 것은 아니지만 최은숙 시인의 시
는 아이들과 함께하는 생활 속에서 보고 듣고 겪은 일들을 받
아 적고 있습니다. 이는 아이들이 화자가 되어 아이들의 시선
으로 시를 펼칠 때에도 마찬가지입니다.

　저는 여기서 '함께'라는 말에 방점을 찍고 싶습니다. '함께'
는 이 시집 전체를 관통하는 키워드라 말할 수 있습니다. 최은

숙 시인은 '선생님'입니다. 따라서 아이들과 함께할 수밖에 없지요. 그런데 모든 선생님이 다 아이들과 함께하는 것은 아닙니다. 물리적으로 한 공간에 있다고 해서 '함께'라고 할 수 있는 것은 아닙니다. 차가운 관찰자일 수도 있고, 교단 위에서 내려다보는 사람일 수도 있기 때문입니다. 아이들의 마음을 잘 이해하지 못하면 청소년시를 제대로 읽기 어렵다는 것을 저는 경험적으로 잘 알고 있습니다. 아이들을 이해하기 위해서 선생님은 교실 바닥보다 20센티미터 높은 교단에서 내려와 아이들과 눈높이를 나란히 맞추고 아이들 속으로 들어가야 합니다. 아이들과 한 덩어리가 되어야 합니다. 이렇게 아이들과 함께하며 쓴 시는 여느 청소년시와는 어딘가 다릅니다.

　　너희 선생님 아프시다
　　옆 반 선생님이 말씀하셨지만
　　오늘 교실 문을 힘차게 열고 들어오신 선생님은
　　솔직히 학교 오기 싫었다고 하신다
　　배신자! 누군 오고 싶어서 오나?
　　선생님은 지각하는 아이를 세워 놓지 않으신다
　　선생님도 종종 지각하시기 때문이다
　　우리가 졸면 책을 덮고 오 분간 재워 주신다
　　그리고 우리보다 더 빨리 주무신다
　　도대체 우리 선생님은 선생님 같지 않다

우리보다 쪼끔 더 알아서 우리를 가르치시는 거다
어떤 때는 모른다고도 하신다
그럴 때는 우리가 가르쳐 드려야 한다
선생님이 신기하다는 듯 오, 오! 하시면
우리 반엔 잘난 척이 퍼진다
선생님은 우리한테 딱이다
　　　　　　　　　　—「선생님은 우리한테 딱이다」 전문

　아이들 눈에 비친 선생님은 어떤 선생님일까요? 이 선생님
은 지각했다고 벌을 주지 않습니다. 아픈 날 자신도 "솔직히 학
교 오기 싫었다"고 말합니다. 게다가 모르는 것은 모른다고 고
백합니다. 너무 솔직합니다. 그런데 아이들도 선생님도 아무렇
지 않은 듯합니다. 아이들이 모르는 걸 가르쳐 주면 선생님은
"신기하다는 듯 오, 오!" 감탄합니다. 세상에, 이런 방식으로 아
이들의 자존감을 길러 주다니요! 아이들이 수업 시간에 졸면
책을 덮고 재워 주기까지 합니다. 위험 수위가 높아집니다. 선
생님도 함께 엎드려 잡니다. 점입가경입니다. 어떨 때는 수업
시간을 통째로 '함께' 잡니다. 그리고 나서는 "나, 침은 안 흘렸
지?" 하면서 수업을 추스립니다(「비밀」). 지시하고 꾸짖고 훈
계하는 선생님 모습은 찾아볼 수 없습니다.
　"청정기를 관리하라고 한 것, 미안하다고/학생이 할 일이 아
닌데 생각이 짧았다"고 선생님이 아이에게 사과합니다(「매우

나쁨」). 여느 교실, 여느 선생님한테서는 쉽게 찾아볼 수 없는 인간적인 모습이지요. 권위 의식을 어디다 감추었는지 보이지 않습니다. '핵인싸각'의 뜻을 아이들에게서 배우곤 선생님은 즐거워 어쩔 줄 모릅니다(「핵인싸각」). 수직적인 위계가 아니라 수평적이고 평등한 인간관계 속에서 함께 살아가는 것이지요. 서사시 「금강」을 배우는 장면은 참 아름답기까지 했습니다(「금강」). 교과서 속의 시를 분석적, 주입식으로 가르치는 것이 아니라 노는 것처럼 배우고 배움 속에서 놀고 있는 것입니다. 지식으로서의 민주주의, 관념으로서의 평등을 가르치는 것이 아니라 그저 생활이 그렇습니다. 선생님은 아이들의 눈높이에서 아이들에게 다가갑니다. 아이들의 마음을 읽고 함께 소통합니다.

선생님이 아이들의 마음속에 들어가는, 즉 소통하는 방법 가운데 하나가 '교환 일기장'을 함께 쓰는 것입니다. 아이들이 돌아가면서 쓰고 선생님도 댓글을 다는 방식입니다. 때로는 부모님도 함께 쓰는가 봅니다. 그래서 말썽쟁이 준영이가 누구를 좋아하고, 누구와 헤어지고, 헤어지자마자 또 누구를 좋아하는지 사춘기의 그 변덕스러운 마음까지 다 알고 헤아리는 것이지요(「교환 일기」, 「소심한 복수」, 「부부라는 말」). "칠갑산 깊은 골에 사는" 요한이는 "지난밤 정성껏 적은" 교환 일기장을 선생님 책상 위에 올려놓고 갑니다.

1. 아침밥을 꼭 먹고 오실 것

2. 지각을 하더라도 잠은 푹 주무실 것

3. 무슨 핑계를 대서라도 하루쯤은 푹 쉬실 것

4. 기초적인 운동을 해서 몸매 관리를 하실 것(너무 많이
   하지는 마실 것)

5. 항상 웃으실 것

6. 시도 때도 없이 웃지 말 것

—「선생님께 하는 부탁」 부분

읽자니 웃음이 번집니다. 최은숙 선생님에게 그랬던 것처럼
나에게도 세상이 환해집니다. 아이들의 생활, 아이들의 마음
뿐만 아니라 아이들의 가정과 동네에서 일어난 일들까지 선생
님은 압니다. 교환 일기장 덕분이지요. 어떤 아이의 이모 이모
부가 "공산성 아래 이층집"으로 이사 오는 것을 어떻게 알았겠
어요?(「이모네 집」) "엄마의 뱃살을 탓하지 않고/엄마 코 고는
소리가 음악보다 좋"다는 아빠의 마음까지 어떻게 알았겠어
요?(「이거다, 싶은」) 그렇게 알아내고 이해한 아이들의 이야기
가 시가 되었습니다. 그래서 최은숙 선생님의 시는 지어낸 이
야기, 허구가 아니라는 것입니다. 물론 사실 그대로의 기록은
아니겠지만 사실을 기반으로 시가 생겨났을 것은 분명합니다.
 선생님과 아이들이 함께 엮어 나가는 이야기는 여러모로 읽
는 이를 감동시킵니다.

올봄에도 아이들이 쑥 뜯으러 나올 거라고
동네 어른들은 둑길에 제초제를 뿌리지 않았습니다
쑥 뜯는 동안 자동차가 한 대도 지나가지 않은 것은
다들 뒷길로 돌아가셨기 때문입니다

공부 안 하고 놀러 나온 게 좋아서
장난치고 도망가고 야단법석
그래도 쑥이 모자라지 않았던 것은
방앗간 사장님이 뜯어 놓았던 쑥을
한 소쿠리 보태 주셨기 때문이에요

학교 앞 솔로몬문방구랑 스마일분식, 독립상회까지
떡을 돌리고도 전교생이 실컷 먹을 수 있었던 것은
엄마들이 쌀을 듬뿍듬뿍 퍼 주셨기 때문이지요

아이들이 자라는 만큼
선생도 자라고
마을은 깊어 갑니다

　　　　　　　　　　　　　　　　　—「알고 보니」 전문

아이들과 함께 둑길에서 쑥을 뜯습니다. 쑥떡을 해 먹기 위해서지요. 그날은 자동차들도 그 길로 가지 않고 뒷길로 돌아갑니다. 쑥을 뜯는 아이들이 그냥 노는 것이 아님을 알기 때문이지요. 나중에 알고 보니 동네 어른들은 아이들이 뜯는 쑥이 오염되지 않게 제초제도 뿌리지 않았답니다. 엄마들은 듬뿍듬뿍 쌀을 퍼 주셨고, 아이들이 뜯은 쑥이 모자라자 방앗간 사장님은 미리 뜯어 놓은 쑥을 한 소쿠리 보태 주셨습니다. 그래서 "학교 앞 솔로몬문방구랑 스마일분식, 독립상회까지/떡을 돌리고도 전교생이 실컷 먹을 수 있었"지요. 온 동네가 함께 한 거예요. 화전놀이 하는 날 싱싱한 진달래꽃을 가져가게 하기 위해 동우 할아버지는 아예 진달래나무를 파다가 마당에 심어 놓으셨습니다(「21세기 화전놀이」). 수학 공식 하나 더 알고 영어 단어 하나 더 외우는 것보다 소중한 이것이 바로 교육이라는 것을 공동체는 알지요. 한 아이를 온 동네 사람들이 키운다는 말이 있습니다. 그래요, 선생님이 함께 나누고자 한 것은 떡만이 아닙니다. 공동체 의식이라는, 우리가 꼭 알고 지켜 나가야 할 덕목입니다.

두릅이랑 고사리는 충남 서산에서 왔다
아빠 친구 송성영 아저씨가 보내 주셨다
쑥이랑 가죽나물은 공주 계룡산에서
아기 손바닥 같은 머윗잎은 무주에서
부지깽이나물은 울릉도에서 배를 타고 나왔다

옥주 이모가 뜯은 쑥과

경순이 이모가 울릉도 다녀오면서 사 온 부지깽이나물

안젤라 이모가 무주에서 따 보낸 머윗잎

엄마 아빠 친구들의 선물이 밥상을 점령했다

—「나물의 이동」 부분

밥상 하나에 대한민국이 다 모였네요. 많은 사람들의 마음이 다 모였네요. "눈 나빠서 묻어 간 벌레 있으면/귀엽게 보시고 털어서 드세요", 이쁜 쪽지까지 적어서 황영순 선생님은 브로콜리를 보내셨고, 할머니는 "아범아, 가을에 찹쌀 찧거든 잊어버리지 말고/황 선생 댁에 꼭 보내 드려라" 하고 당부하십니다 (「난 브로콜리를 좋아하진 않지만」). 나눔과 베풂이 공동체의 기본 아닌가요? 행복 아닌가요? 최은숙 선생님은 시집 곳곳에서 이렇게 소박한 행복을 그려 냅니다. 애초에 우리 전통 사회에서는 그렇게 살았습니다. 그런데 어느 순간 속도와 효율, 물질적 가치만을 추구하고 '우리'보다는 '나'만을 챙기는 사이 나누고 베푸는 공동체가 사라져 버린 것이지요. 허겁지겁 살아오면서 우리가 잃어버린 것, 잃어서는 안 되는 것들을 공동체 속에서 찾아 지켜 가고자 하는 선생님의 마음이 여기저기서 읽힙니다.

지수가 시험을 잘 봤다고

지수 엄마가 만두를 오백 개나 빚었습니다
솜씨 좋은 문녕이 엄마가 도왔습니다
만두 맛도 일 등이여
칭찬이 오고 가고

고등학교를 어디로 갈지
엄마 아빠만 고민일 뿐
무한 긍정 문녕이는 오늘도 지수보다 더 신났습니다
그려 모두 일 등만 할 수 있나
우리 문녕이가 동네 이장은 떼 논 당상이니께
혀를 차면서 푸짐하게 만두를 쪄 내는 문녕이 엄마

지수 엄마가 부러운 것은 사실이지만
기특한 지수를 예뻐하는 마음에는 거짓이 없습니다
지수는 우리 동네 아이들을 가르칠
미래의 선생님이거든요
모교로 돌아와 선생님을 하겠다는 확고한 꿈
무슨 과목을 가르칠 거냐 물으면
다 가르칠 수 있다 대답하는 당당함
우리는 지수에게 잘 보이기로 했습니다

문녕이는 지수가 아이들을 가르치는 마을에서 살 거랍니다

웃음이 터집니다 잔치가 잔치답습니다
동네의 실세는 이장님이죠
우리는 또 문녕이에게 잘 보이기로 합니다


노래 잘하는 문녕이 아빠 숟가락 마이크 들고 일어섭니다
건배사는 미래의 이장님 모친이 하셨습니다
문녕이가 이장님이 되고 지수가 선생님이 될 때까지
우리 모두 파이팅 해유!
오늘도 문녕이네 식구들이 열일했습니다
　　　　　　　　　　　　—「우리 모두 파이팅!」 전문


　읽어 보면 아는 시를 굳이 설명할 필요가 있을까요? 억지 상
상력을 발휘하거나 어려운 수사법을 써서 지어낸 시가 아니니
까요. 시험을 잘 치른 지수를 위하여 지수 엄마가 만두를 빚어
동네잔치를 엽니다. 그런데 공부를 썩 잘하지 못한 듯한 문녕
이의 엄마 아빠도 덩달아 신이 났습니다. 공부 잘하는 지수는
선생님이 되어 동네 아이들을 가르치겠다고 합니다. 문녕이는
이장이 되어 마을을 지키겠다고 합니다. 공부 잘하는 아이는
경쟁에서 이겨 혼자만 잘 살겠다고 하지 않습니다. 공부 못하
는 아이도 당당하게 마을 이장이 되어 마을을 지키겠다고 합니
다. 여기서 일 등과 꼴찌가 무슨 상관이겠습니까? 아름답기 그
지없습니다.

이 시에서 그려지는 서사가 실제 있었던 일인지는 중요하지 않습니다. 선생님인 시인이, 시인인 선생님이 아이들과 함께 꾸는 꿈의 모습이 선명하게 그려져 있습니다. 그 꿈은 크거나 화려하지 않습니다. 작고 아름답고 소박합니다. 구제역 방제 알바를 하는 수봉이처럼 선생님도 '빽'이 통하지 않는 원칙이 있습니다(「빽」). "그냥 나"로 '지금 여기'를 사는 당당함이 있습니다(「그냥 나」). "풀도 꽃이야 인마, 잡초는 없어" 하며 작은 풀 하나에도 생명의 가치를 인정하는 존중이 있습니다(「꽃밭에서」). 차별과 편견이 없고 그 자리에 "지금이 딱이야"라고 말하는 무한 긍정이 있습니다(「이거다, 싶은」). "나중에 우리 아이들이랑 학교에 찾아오게 될 때, 이게 아빠 중학생 때 담임 선생님이랑 심은 거라고 말해 주고 싶"다며 선생님과 학교에 나무를 심는 서사 속에는 미래로 이어지는 희망이 있습니다(「우린 운이 좋다 언제나」).

이렇듯 최은숙 선생님의 시는 아이들과 함께 우리가 회복해야 할 공동체적인 가치들을 찾아내어 보여 줍니다. 소통을 통해 아이들과 선생님이 함께하고, 이 관계가 마을로 이어져 아이들의 부모도 함께 꿈꾸는 작은 낙원이 그려져 있습니다. 읽는 내내 작은 설렘이 가슴을 두근거리게 했습니다. 물질적 가치를 최고로 아는 오늘날, 아직 우리에게 돌아갈 곳이 있다는 것이 얼마나 다행인지 모릅니다. 과도한 경쟁에 몰린 아이들이 선생님과 함께 꿈꾸며 찾아가는 소박하고 거짓 없는 마을,

"눈도 못 뜬 강아지들이 개집 밖으로 기어나오면/어미 품에 던져 넣어 주는", 하찮은 생명도 소외받지 않는 그 따뜻하고 예쁜 "하느님의 작은 마을"(「하느님의 작은 마을」) 말입니다.

## 시인의 말

공산성 기슭에는 낡은 집을 사서 이사 온 이모와 이모부가 삽니다. 구멍 난 곳을 막고 부서진 곳은 고치며 차근차근 삶을 일으켜 세웁니다. 오랫동안 빈집을 지키던 도깨비가 사람 소리에 놀라 창문 넘어 후다닥 달아났을 것 같은 집. 여기에도 방이 있어요! 와, 여긴 창고예요? 새처럼 지저귀는 아이들의 목소리가 골목에 삽니다. 봄이 오면 쑥을 뜯으러 나오는 학교 아이들을 위해 둑길에 제초제를 뿌리지 않는 어른들의 묵묵한 마음과 수업 시간에 만든 쑥떡을 학교 앞 문방구와 슈퍼마켓과 분식집에 돌리는 아이들의 경쾌한 발걸음이 삽니다. 옥수수와 감자와 파전을 나눠 먹는 이웃들이 모여 삽니다.

나의 생활에 들어와 시가 되어 준 착한 아이들과 이웃들에게 이 시집을 드립니다. 친구들은 물론 선생님과 엄마와 아빠, 옆집 아주머니, 아저씨의 음성이 가까이에서 들리는 우리 마을의 이야기를 담았습니다. 우리의 이야기가 우리에게 선물이 되었으면 좋겠습니다.

이런 세상이 정말 있는 걸까요? 생각보다 가까이에 있습니다. 우리가 그 세상입니다. 심지가 곧고 착한 사람들이 외딴 '섬'이 되지 않도록 서로 다리가 되어 주고 다정한 발걸음 오고 가는 골목이 되어 주는, 우리가 그 마을입니다.

2021년 4월
최은숙

**창비청소년시선 34**
지금이 딱이야

초판 1쇄 발행 • 2021년 4월 5일
초판 3쇄 발행 • 2022년 12월 9일

지은이 • 최은숙
펴낸이 • 강일우
편집 • 서대영 박문수
펴낸곳 • (주)창비교육
등록 • 2014년 6월 20일 제2014-000183호
주소 • 04004 서울특별시 마포구 월드컵로12길 7
전화 • 1833-7247
팩스 • 영업 070-4838-4938 / 편집 02-6949-0953
홈페이지 • www.changbiedu.com
전자우편 • textbook@changbi.com

ⓒ 최은숙 2021
ISBN 979-11-6570-055-3 44810

* 이 책 내용의 전부 또는 일부를 재사용하려면
  반드시 저작권자와 (주)창비교육 양측의 동의를 받아야 합니다.
* 책값은 뒤표지에 표시되어 있습니다.